ARTHUR YN ACHUB Y BYD
a PEDRIG Y PYSGODYN PENGALED

STRAEON
DENU
DARLLEN

CYFRES CLEC

ARTHUR YN ACHUB Y BYD
PEDRIG Y PYSGODYN PENGALED

I Iago a Seth

Argraffiad cyntaf: 2015


Rhif Llyfr Safonol Rhyngwladol:
978-1-84527-514-3

Cyhoeddwyd gyda chymorth Cyngor Llyfrau Cymru

Llun clawr: Hannah Doyle
Cynllun clawr: Eleri Owen

Cyhoeddwyd gan Wasg Carreg Gwalch,
12 Iard yr Orsaf, Llanrwst, Dyffryn Conwy, Cymru LL26 0EH.
Ffôn: 01492 642031
Ffacs: 01492 642502
e-bost: llyfrau@carreg-gwalch.com
lle ar y we: www.carreg-gwalch.com

Argraffwyd a chyhoeddwyd yng Nghymru

## Cynnwys

# Arthur yn Achub y Byd

Un prynhawn glawog, gwyliodd Arthur ffilm newydd gan yr actor enwog Daniel Dodo, ffilm o'r enw *Mae'n Amser Achub y Byd*. Roedd wedi disgwyl iddi fod yn ffilm antur gyffrous neu'n ffilm yn llawn bwystfilod. Ond na! Ffilm am achub y byd oedd hi.

Ar ôl i'r ffilm orffen, roedd llygaid Arthur fel dwy soser.

Dywedai Daniel Dodo fod gormod o wastraff yn y byd, dim digon o ddŵr glân a bod rhaid plannu mwy o blanhigion fyddai'n amsugno'r nwyon cas sy'n dod o geir a ffatrïoedd. Roedd yr holl bethau hyn yn llygru'r blaned.

Bu Arthur yn troi a throsi yn ei wely'r noson honno. *Pam nad oedd y Prif Weinidog am achub y byd*? pendronodd Arthur.

Yn y bore, roedd Arthur dal i bendroni wrth iddo fwyta tost a jam, a Martha'r gath yn canu grwndi'n braf o dan y bwrdd.

"Wyt ti'n iawn Arthur bach? Rwyt ti'n dawel bore 'ma," sylwodd Mam.

"Amheus o dawel!" meddai Taid gan chwerthin.

"Ydw, dwi'n iawn, ond dwi'n poeni braidd am y byd," atebodd Arthur.

"Y byd?" meddai Mam a Taid fel parti cydadrodd. Chwarddodd y ddau nerth eu pennau dros y lle. "Ew, rwyt ti'n un doniol, Arthur," meddai Taid gan fwytho'i ben. Ond doedd Arthur ddim yn gweld y peth yn ddoniol o gwbl. O'r funud honno, gwnaeth benderfyniad. Os nad oedd neb arall am achub y byd, byddai'n rhaid iddo fo, Arthur Tomos, achub y byd ar ei ben ei hun.

Un diwrnod, pan oedd hi'n amser chwarae, dechreuodd Arthur blannu coed a phlanhigion ar gae'r ysgol. Byddai'r rhain yn amsugno'r nwyon cas o'r ceir a'r ffatrïoedd.

"Dyna ni," meddai ar ôl gorffen, gyda mwd dros ei ddwylo a'i wyneb. "Un cam yn nes at achub y byd!"

Ond yna daeth Mr Pritchard, y prifathro, allan i'r cae. Edrychai'n flin iawn ar Arthur, druan.

"Arthur, beth wyt ti'n feddwl wyt ti'n ei wneud? Mae'n edrych fel bod twrch daear wedi cael parti yma!"

"Wel, a dweud y gwir, achub y byd ydw i, Mr Pritchard," meddai Arthur yn falch.

"Achub y byd? Wel, Arthur bach, stopia drio achub y byd, a dos i dy wers y funud yma!"

Daliodd Arthur ei ben yn isel wrth i Mr Pritchard gropian ar hyd y cae'n casglu'r hadau. Ar unrhyw ddiwrnod arall, byddai Arthur wedi chwerthin wrth weld y ffasiwn beth, ond nid heddiw.

Yr wythnos wedyn, cafodd Arthur syniad gwerth chweil ...

Dywedai Mr Dodo fod rhai pobl ar y blaned yn defnyddio gormod o ddŵr a bod eraill mewn gwledydd sych heb ddigon o ddŵr glân. Caeodd Arthur ei lygaid a chofio am y llun roedd wedi'i weld yn yr ysgol, llun o ferch ifanc yn cario bwced o ddŵr ar ei phen. Roedd hi'n byw mewn gwlad o'r enw Mali yn Affrica, a cherddai bum milltir bob dydd er mwyn casglu bwcedaid o ddŵr glân i'w theulu.

*Hmm*, meddyliodd Arthur ... *heb blwg, fydd Dad yn methu cael bath!*

Wrth i Arthur sgwrsio gyda Mam a Taid dros frecwast, daeth bloedd o'r ystafell ymolchi.

"Ble ar wyneb y ddaear mae plwg y bath?" rhuodd Dad. "Dwi wedi chwilio ym mhob twll a chornel a does dim golwg ohono ..."

"Dwi wedi'i guddio!" gwaeddodd Arthur dros y tŷ. "Rwyt ti'n defnyddio gormod o ddŵr, Dad! Mae yna bobl ledled y byd heb ddŵr i'w yfed, heb sôn am gael bath!

"Arthur, stopia drio achub y byd!"

Roedd Arthur bron â chrio. Dim ond trio helpu oedd o.

"Hei, paid â gwrando arno fo," meddai Taid, gan roi winc slei ar Arthur. "Hen grinc blin ydi o yn y bore. Chdi sy'n iawn fy ngwas i. Mae angen i rywun achub y byd." Cododd Arthur ei galon a rhoi hanner gwên i Taid.

Y diwrnod wedyn, roedd parti pen-blwydd Sam yn saith oed. Wrth i bawb chwarae cuddio, sylwodd Arthur fod llwyth o fwyd ar ôl. Dyma beth oedd gwastraff! Wrth gwrs, doedd gwastraff ddim yn beth da, felly ceisiodd fwyta'r bwyd i gyd. Pan oedd hi'n amser mynd adref, daeth Mam i chwilio am Arthur.

"Argol fawr, beth sy'n bod, Arthur? Ti'n edrych yn sâl."

"Achub y byd ydw i," meddai Arthur a'i geg yn llawn o jeli, hufen iâ a chacen ben-blwydd.

"Ond mi fyddi di wedi gwneud dy hun yn sâl!" rhybuddiodd Mam. Yr eiliad nesaf, chwydodd Arthur dros bob man. Ych a fi!

"Twt twt, mae o wedi bwyta gormod." meddai'r rhieni i gyd. Bu Mam yn dweud y drefn wrtho yr holl ffordd adref o'r parti. Ddywedodd Arthur ddim gair.

Ar ôl cyrraedd adref, rhedodd Taid atyn nhw gan chwifio darn o bapur. "Arthur! Mae 'na lythyr i ti!"

Rhwygodd Arthur yr amlen.

"Taid! Llythyr gan Daniel Dodo ydy o, yn diolch i mi am drio achub y byd! Ond sut mae o'n gwybod?" Edrychodd Mam a Dad ar ei gilydd mewn penbleth.

"Fi ysgrifennodd at Mr Dodo i ddweud wrtho am dy waith caled," esboniodd Taid. "Ti sy'n iawn – ein cartref ni ydy'r blaned yma, felly mae'n rhaid i ni ei hachub.

“A dylen ni wneud ein gorau i’w gwarchod. Sori Arthur,” cytunodd Mam a Dad. Am y tro cyntaf ers sbel, fflachiodd Arthur wên enfawr i’w rieni.

Byth ers y diwrnod hwnnw, cymerai Arthur, Taid, Mam a Dad gamau bychain fyddai’n gwneud gwahaniaeth mawr er mwyn gwarchod y blaned.

Byddai Dad a phawb yn y tŷ'n cael cawod sydyn yn lle bath. Defnyddiai hyn lawer llai o ddŵr ... a doedd dim rhaid i Arthur wneud drygau!

Cafodd Taid syniad campus arall. Cafodd fin compost yn yr ardd er mwyn rhoi gwastraff bwyd yno, o fagiau te i blisg wyau a phlicion llysiau. Ymhen rhai misoedd byddai'r domen gompost yn cael ei gwasgaru er mwyn gwella pridd yr ardd a helpu'r llysiau i dyfu.

Yn yr ysgol, yr un oedd cân Mr Pritchard. "Mae'n ddrwg gen i Arthur," meddai. "Ti oedd yn iawn – mae angen i bawb gymryd camau i achub y byd cyn iddi fynd yn rhy hwyr. Beth am i ni droi'r ysgol yn ysgol werdd? Ti fydd yr arweinydd."

"*O'r diwedd!* Syniad ardderchog, Mr Pritchard!" chwarddodd Arthur, yn wên o glust i glust.

# Pedrig y pysgodyn pengaled

Mae yna gant a mil o wahanol greaduriaid yn byw yn y môr. Mae yna bysgod mawr a physgod bach, siarcod, morfilod, morloi, slefrod môr, sêr môr, crancod, a llawer llawer mwy. Mae'n fyd rhyfeddol, llawn dirgelwch, ac yn y byd rhyfeddol hwn mae Pedrig yn byw.

Mae Pedrig yn bysgodyn bach gwahanol. Mae hefyd yn bysgodyn pengaled. Hoff bethau Pedrig yw cuddio ymysg y cregyn, teimlo goglais y gwymon, tyrchu yn y tywod, ac yn fwy na dim, creu swigod sgleiniog.

Cas beth Pedrig ydy gwersi nofio. Gwersi nofio? Ond mae pob pysgodyn yn gallu nofio! Wel ydyn, mae hynny'n ddigon gwir, ond mae'n rhaid i holl bysgod y môr mawr gael gwersi, er mwyn dysgu nofio'n dda a chadw'n saff.

"Pedrig! Ble wyt ti, Pedrig? Mae'n amser mynd am wers nofio!" galwodd Mam un bore. Cuddiai Pedrig yn y cregyn islaw.

"Dwi ddim eisiau mynd, Mam!" cwynodd Pedrig. "Dwi'n casáu gwersi nofio."

Ochneidiodd Mam. "Brensiach y bratiau, mae gwersi nofio'n bwysig, Pedrig. Mae'n rhaid i ti ddysgu nofio'n chwim, rhag ofn bydd siarc yn ceisio dy fwyta! Wyddost ti pa mor finiog ydy dannedd siarc, a pha mor fawr ydy ei chwant bwyd!

Rhaid i ti ddysgu nofio wysg dy ochr, er mwyn i ti allu dod yn rhydd o fachyn gwialen bysgota, ac mae'n rhaid i ti ddysgu nofio i fyny at wyneb y dŵr ac i lawr at wely'r môr, rhag ofn i ti gael dy ddal mewn rhwyd."

Arhosodd Pedrig yn ei gragen. "Wna i byth gael fy mwyta gan siarc, na chael fy nal ar fachyn gwialen bysgota, na chael fy nal mewn rhwyd, achos does 'na ddim byd byth yn digwydd yn y lle 'ma," cwynodd Pedrig eto.

Nofiodd Mam yn llyfn tuag at wely'r môr ac at ei mab. Gafaelodd yng nghynffon Pedrig heb ddim lol, a'i lusgo bob cam i'r wers nofio. Roedd Mrs Chwim, yr athrawes nofio, yn ddymunol iawn, ond doedd Pedrig ddim yn gwrando arni. Oedd, roedd Pedrig yn bysgodyn pengaled iawn.

“Rŵan, bawb, ar ôl tri, dwi am i bob un ohonoch chi nofio i fyny ac i lawr, o fan hyn hyd at y graig acw, iawn?” meddai Mrs Chwim.

“Iawn,” meddai’r pysgod bach yn eiddgar – pob un heblaw am Pedrig.

“Un, dau, tri!” ebychodd Mrs Chwim, ac i ffwrdd â’r pysgod i gyd, i fyny ac i lawr, i fyny at y don ac i lawr at wely’r môr. Wel, pob un heblaw am Pedrig. Wrth i Mrs Chwim gadw llygad barcud ar dechneg nofio’r pysgod eraill, trodd Pedrig yn gyflym, a nofio’n is i lawr at wely’r môr heb i neb sylwi arno.

“Hi hi!” chwarddodd Pedrig wrtho’i hun. “Rydw i’n rhydd! I ffwrdd â fi i guddio yn y cregyn, i deimlo goglais y gwymon, i dyrchu yn y tywod a chreu swigod sgleiniog – fy hoff bethau yn y byd! Swig swig swigod, yn sgleiniog fel y sêr!” canodd Pedrig yn llawen. Chwythodd swigen anferthol.

Nofiodd drwy'r gwymon a'i deimlo'n goglais ei fol, a thyrchodd yn y tywod ar wely'r môr. Yn sydyn, aeth popeth yn dywyll. Teimlodd Pedrig y dŵr yn oeri.

Daeth allan o'r gwymon yn araf a beth welodd uwch ei ben? Andros o siarc mawr du gyda dannedd gwyn, miniog.

“Aaaaaa!” sgrechiodd Pedrig, a dechrau nofio mor gyflym ac y gallai, ond roedd ganddo un broblem ... doedd o ddim yn cofio sut i nofio’n chwim! Daeth y siarc yn nes ac yn nes, ac roedd Pedrig ar fin cael ei lyncu pan daeth slefren fôr i’r golwg a rhoi pigiad cas i’r siarc.

"Aaaaaw!" gwingodd y siarc, cyn troi a diflannu i'r dyfnderoedd.

"Pedrig! Beth wyt ti'n ei wneud fan hyn?" gofynnodd Wibliwobli, y slefren fôr. "Rwyt ti'n lwcus i mi ddod i dy achub, neu mi fyddet ti wedi bod yn ginio blasus i'r siarc yna!"

"Diolch, Wibliwobli," meddai Pedrig, "ond mi fyddwn i wedi bod yn iawn – ro'n i'n nofio'n chwim."

"Ddim mor chwim â hynny ..." sylwodd Wibliwobli. "Mi ddylet ti fynd i dy wersi nofio, Pedrig!"

I ffwrdd â Pedrig unwaith eto, yn ôl at wely'r môr. "Swig swig swigod, yn sgleiniog fel y sêr!"

Yna, yn sydyn, teimlodd rywbeth yn ei geg na! Roedd o wedi cael ei ddal ar fachyn gwialen bysgota! "Aw! Awawaw!" llefodd Pedrig.

Dechreuodd nofio wysg ei ochr, ond methai'n lân â chofio sut oedd gwneud. Roedd Pedrig yn cael ei dynnu'n uwch ac yn uwch gan y bachyn miniog, ac yn nes at wyneb y don.

Yna, yn sydyn, daeth crwban y môr i gnoi ar y wialen. Cnoi, cnoi, cnoi nes bod Pedrig yn rhydd.

"Pedrig! Beth wyt ti'n ei wneud fan hyn?" gofynnodd Mari, crwban y môr. "Rwyt ti'n lwcus i mi ddod i dy achub, neu mi fyddet ti wedi bod yn ginio blasus i'r pysgotwr yna!"

"Diolch, Mari," meddai Pedrig, "ond mi fyddwn i wedi bod yn iawn – ro'n i'n nofio wysg fy ochr."

“Doeddet ti ddim yn nofio wysg dy ochr gystal â hynny,” meddai Mari’n flin. “Mi ddylet ti fynd i dy wersi nofio, Pedrig!”

Ond i ffwrdd â Pedrig unwaith eto, yn ôl at wely’r môr. “Swig swig swigod, yn sgleiniog fel y sêr!” canodd wrth iddo greu rhagor o swigod sgleiniog. Yna, yn sydyn, teimlodd rywbeth yn cau amdano. Roedd o wedi nofio’n syth i ganol rhwyd bysgota.

"Heeeeeelp!" gwaeddodd Pedrig, yn llawn ofn. "Heeeeeeelp!"

Cododd y rhwyd yn uwch ac yn uwch, nes gwelai Pedrig yr awyr las uwch ben y tonnau.

"Heeeeeeelp!" gwaeddodd eto. Â'i holl ymdrech, ceisiodd nofio am i fyny er mwyn dianc o'r rhwyd, ond doedd o ddim yn cofio beth i'w wneud.

Yn sydyn, gafaelodd rhywun yn ei gynffon a'i dynnu allan o'r rhwyd. *Ffiw*, roedd yn rhydd yn y môr mawr unwaith eto.

“Mam!” meddai Pedrig wrth weld pwy oedd wedi’i achub y tro hwn. “Plis ga i fynd i wersi nofio Mrs Chwim? Plis, Mam!”

“Cei wir, Pedrig – a hen bryd hefyd!” meddai Mam yn llawn rhyddhad. “Rŵan, tyrd adref, y pysgodyn pengaled!”

Teitl arall yn yr un gyfres ...